Faust

Eine kleine Werkstatt zu einem großen Thema

nach Motiven aus „Faust. Erster Teil“

von Johann Wolfgang von Goethe

Text von Franz Specht

Bilder von Oleg Kantorovitch

Aufgaben von Carola Heine und Elisabeth Lazarou

Deutsch als Fremdsprache

Niveaustufe A2

Leichte Literatur

F.S.

Hueber Verlag

1 ◀ Aufgabe vor dem Lesen

▶ 2 Aufgabe nach dem Lesen

Hinweis zur Ausgabe mit Audio-CD: Kapitel 1 = Track 1
Kapitel 2 = Track 2
usw.

4. 3. 2. | Die letzten Ziffern
2014 13 12 11 10 | bezeichnen Zahl und Jahr des Druckes.
Alle Drucke dieser Auflage können, da unverändert,
nebeneinander benutzt werden.
1. Auflage

Herausgeber: Franz Specht, Weßling
Redaktion: Andrea Haubfleisch, Hueber Verlag, Ismaning
Umschlaggestaltung: Parzhuber und Partner, München
Fotogestaltung Cover: wentzlaff | pfaff | güldenpfennig kommunikation gmbh,
München
Coverfoto: © Franz Specht
Layout & Satz: Lea-Sophie Bischoff, Hueber Verlag, Ismaning
Illustrationen: Oleg Kantorovitch, Köln
Zeichnungen: Gisela Specht, Weßling
Druck und Bindung: Ludwig Auer GmbH, Donauwörth
Printed in Germany
ISBN 978-3-19-111673-6
ISBN 978-3-19-101673-9 (mit CD)

1

Doktor Fausts Traum

1 ◀

Es ist spät in der Nacht.
Faust ist allein in seinem großen Studierzimmer.
Wohin man sieht, überall sind Bücher.
Faust ist ein wichtiger Mann.
5 Er ist Doktor, er ist Professor.
Man kennt ihn in Stadt und Land.
Man will seine Meinung hören.
Man bittet um seinen Rat.
Die Studenten kommen von überall her und
10 wollen von ihm lernen.
Doktor Faust kann mit sich und mit der Welt zufrieden sein.
Ist er denn wirklich zufrieden?

Faust ist in seinem Studierzimmer. Er spricht mit sich selbst.

Faust:

15 Vor vielen Jahren hatte ich einen Traum: Ich wollte alles verstehen.

Faust:

Wenn man alle Bücher liest, dann kann man die Wahrheit finden. So hast du doch gedacht, oder?

20 **Faust:**

Ja. Ich habe Tag und Nacht gelernt, studiert, gearbeitet.

Ich hatte keinen Urlaub, keine Pause, keine Freizeit.

Faust:

Du wolltest deinen Traum wahr machen.

25 Du wolltest den Schlüssel zu allem Wissen.

Faust:

So ist es. Mein ganzes Leben war nur Wissenschaft.

Faust:

Aha. Und? Was weißt du jetzt?

30 **Faust:**

Eine Menge.

Faust:

Ach komm, rede keinen Quatsch!

Du bist so dumm wie am Anfang.

35 **Faust:**

Die Leute sehen das anders.

Faust:

Pah, die Leute!

Faust:

40 Sie nennen mich einen großen Wissenschaftler[1], ein Genie[2].

Faust:

Und warum?

[1] die Wissenschaft, -en
das Studieren und Lernen

[2] das Genie, -s
ist sehr intelligent und klüger als die meisten anderen Menschen

Faust:

Weil es stimmt, vielleicht?

45 ***Faust:***

Nein. Weil sie noch dümmer sind als du.

Faust:

Ich bin nicht dumm.

Faust:

50 Dann zeig' sie mir doch, die Wahrheit!

2

Ein Geist ...

6 ◀

Jahrzehntelang hat Doktor Faust Wissen gesammelt.
Aber die Wahrheit hat er nicht gefunden.
Er weiß jetzt, dass er mit seinen Studien in die falsche Richtung
gelaufen[3] ist.
5 Er ist alt und hat nicht mehr viel Zeit.
Deshalb will er einen neuen Weg probieren.
In einem Zauberbuch hat er magische Symbole gefunden.
Kann er mit ihnen mehr erreichen?
Bekommt er mit ihrer Hilfe Kontakt zu einer anderen,
10 höheren Welt?
Oder sind sie gefährlich?
Bringen sie den Tod und nicht die Wahrheit?
Faust öffnet das Buch.
‚Sterben muss ich so oder so', denkt er und legt die Hand auf
15 eines der Symbole.

Faust, *laut:*
Die Wahrheit! Ich will sie wissen.
Ich muss sie wissen. Hier und jetzt!
Geist:
20 Wer ruft mich da?
Faust:
Da! … Ich kann es! … Ein Geist![4] … Er kommt zu mir!
Geist:
Wer bist du?

[3] in die falsche Richtung laufen =
den falschen Weg nehmen

[4] der Geist, -er
kein Mensch, kein Tier;
ein übernatürliches Wesen

25 **Faust:**

Ach, er ist so heiß wie Feuer und so hell wie die Sonne.

… Ich kann gar nicht hinsehen.

Geist:

Was? Ich verstehe dich nicht.

30 Zuerst rufst du mich so laut und dann redest du so leise.

Wer bist du?

Faust:

Mein Name ist Faust. Ich bin … ein Kollege.

Geist:

35 Du bist ein Mensch.

Faust:

Ich bin ein Genie. Ich bin von Gott gemacht wie du.

Wir gehören zur gleichen Welt.

Geist:

40 Zu welcher?

Faust:

Zu welcher? Was meinst du denn damit?

Geist:

Es gibt drei Welten: Die helle Welt ganz oben, die dunkle Welt
45 ganz unten und die Menschenwelt in der Mitte. Dort ist es mal
dunkel und mal hell.

Faust:

Die Menschenwelt …

Geist:

50 … ist deine Welt, Faust. Bleib dort und kümmere dich um deine
Dinge. Für andere Aufgaben bist du nicht groß genug.

Faust:

▶ 7–9 Halt! Warte! Geh nicht weg!

3

… und noch ein Geist

10 ◀ Faust ist wieder allein in seinem Studierzimmer.
Was ist nun mit der Wahrheit?
Ist der Mensch nicht groß genug für sie?
Das hat der Geist gesagt.
5 Für was hat Faust dann aber sein Leben lang gearbeitet und
studiert?
Die anderen Menschen haben ihre Zeit genützt, haben Reisen
gemacht, haben die Welt und die Liebe kennengelernt, haben
Freude und Leid[5] gefühlt.
10 Faust hat immer nur in Studierzimmern gesessen, hat Tausende
Bücher gelesen, hat Tausende Seiten Papier vollgeschrieben.
Von der Welt hat er nur wenig gesehen.

[5] das Leid, -en; leiden =
Gegenteil von Freude;
Gegenteil von sich freuen

Nun sind seine besten Jahre vorbei, niemand kann sie ihm zurückgeben.

15 Wenn er den Schlüssel zur Wahrheit nicht finden kann, was bleibt dann noch für ihn?

▶ 11

Faust:

Nichts. … Nichts bleibt. … Nur der Tod.

Mephisto:

20 Aber, aber! Warum gleich sterben, Faust?

Faust:

Wer bist du?

Woher kommst du so plötzlich? Bist du auch ein Geist?

Mephisto:

25 Ein Geist? Gut geraten! Aber zu denen da oben gehöre ich nicht.

Faust:

Aha, ich verstehe. Du bist also ein Teufel[6].

Mephisto:

Mephisto ist mein Name und das Böse ist mein Beruf.

30 Ich möchte für dich arbeiten.

Faust:

Danke. Ich brauche niemand.

Mephisto:

Ich kann alles für dich tun, Faust. Ich kann dir alles geben.

35 **Faust:**

Na gut, dann gib mir die Wahrheit.

Mephisto:

Wahrheit? Das ist doch was für Kinder!

Du bekommst was Besseres.

[6] der Teufel, –

40 **Faust:**

Etwas Besseres als die Wahrheit?

Mephisto:

Ich zeige dir die tollsten, interessantesten Dinge.

Ich mache alles, was du willst.

45 **Faust:**

Und was kriegst du dafür?

Mephisto:

Im Leben nichts. Später dann, wenn du mal tot bist, …

Faust:

50 … dann soll ich tun, was du willst?

Ach, das macht mir keine Angst.

Wenn man tot ist, …

Mephisto:

… ist man tot. Recht hast du!

55 Komm, wir machen einen Vertrag.

Faust:

Nicht so schnell, mein Freund!

Nur wenn ich sage: „Jetzt bin ich zufrieden“, dann sollst du mich haben.

60 Dann will ich tot umfallen.

Mephisto:

Wie du möchtest. Unterschreibe nur hier.

Aber mit deinem Blut, bitte.

Faust:

65 Blut, Bleistift, Kugelschreiber, mir ist das egal.

Merke dir: Ich werde nie zufrieden sein. Nie!

Mephisto:

Ist schon gut. Und nun komm. Die Welt wartet auf dich.

Faust:

70 Auf mich? Das glaube ich nicht.

Sieh mich an: Ich bin alt und hässlich und vom lustigen Leben verstehe ich gar nichts.

Mephisto:

Tja, als Erstes müssen wir wohl etwas gegen deine Minderwertigkeitskomplexe[7] tun.

▶ 12+13

4

Hexenmedizin

14 ◀

Auf seinem Zaubermantel[8] fliegt Mephisto mit Faust zu einer alten Hexe[9].

Sie soll für Faust eine besondere Medizin[10] kochen.

Wenn man davon trinkt, fühlt man sich um dreißig Jahre jünger.

[7] der Minderwertigkeitskomplex, -e
Wer denkt, „alle anderen Menschen sind intelligenter, schöner, besser als ich“ hat einen …

[8] der Zaubermantel, ¨

[9] die Hexe, -n

[10] die Medizin, -en

Auf einem Tisch in der Hexenküche sieht Faust ein Bild.
Es zeigt eine wunderschöne Frau.
Faust verliebt sich sofort in sie. [11]
„Wer ist das?“, will er von Mephisto wissen.
„Das ist Helena“, antwortet Mephisto. „Sie war mal die schönste Frau der Welt.“
„Ich möchte sie kennenlernen“, sagt Faust.
„Sie ist tot“, sagt Mephisto. „Schon seit vielen Jahrhunderten.“
„Ich will sie aber sehen.“
„Es geht nicht.“
„Du tust alles für mich. Wir haben einen Vertrag. Vergiss das nicht.“
„In Ordnung“, sagt Mephisto ruhig. „Jetzt trink erst mal deine Medizin.“
Mephisto weiß: Das Hexengetränk ist sehr stark. Ab heute sieht Faust die schöne Helena in jedem hübschen Mädchen.
Auch in …

▸ 15+16

5

Gretchen

Faust und Mephisto sind wieder zurück in der Stadt.
Sie gehen durch die Straßen.
Da sehen sie eine junge Frau.
Sie kommt gerade aus der Kirche.
Sie ist fast noch ein Kind.
Faust findet sie so schön, dass er Helena sofort vergisst.
Er macht ein paar schnelle Schritte und spricht das Mädchen an:

[11] Faust verliebt sich sofort in sie. =
Ab jetzt liebt Faust sie.

Faust:

Entschuldigung, darf ich vielleicht

10 ein Stückchen mit Ihnen gehen?

Gretchen:

Nein danke.

Faust:

Halt, warten Sie!

15 **Gretchen:**

Lassen Sie mich!

Ich finde meinen Weg schon allein.

Mephisto:

Weg ist sie!

20 **Faust:**

Ich will sie kennenlernen, Mephisto.

Wie sie wohl heißt?

Mephisto:

Sie heißt Margarete.

25 **Faust:**

Sie ist so schön!

Ich möchte mit ihr zusammen sein.

Los, mach was.

Mephisto:

30 Gretchen glaubt so sehr an Gott,

dass ich leider nichts machen kann.

Über manche Menschen hat auch

der Teufel keine Macht [12].

Faust:

35 So? Dann kannst du unseren Vertrag

vergessen.

[12] keine Macht haben
nichts tun können

Mephisto:

Na gut, ich versuche es. Vielleicht kann ich doch etwas tun.

Faust:

40 So ist es schon besser!

Mephisto:

Aber ich brauche Zeit. Bei Gretchen geht es nicht so schnell.

Faust:

Zeit? Wie lange denn? Ich möchte nicht gern warten.

45 **Mephisto:**

Willst du vielleicht schon mal ihre Wohnung sehen? Ich kann dir ihr Zimmer zeigen.

Faust:

Gut. Aber ich brauche ein Geschenk für sie. Ein wirklich tolles Geschenk, hast du verstanden?

▶ 17+18

6

Ein Geschenk ...

Faust und Mephisto stehen in Gretchens Zimmer. Das Zimmer ist klein und sehr sauber.

Faust geht hin und her. Er sieht sich alles ganz genau an.

‚Das ist ihr Schrank', denkt er. ‚Das sind ihre Kleider. Vor
5 diesem Spiegel[13] steht sie, auf diesem Stuhl sitzt sie … und hier … in diesem Bett …'

Mephisto sieht Faust an. ‚Ich weiß, was du jetzt am liebsten möchtest!', sagen seine Augen.

Faust wird rot.

10 „Am liebsten möchte ich jetzt gehen", ruft er. „Ich glaube, wir lassen die ganze Sache."

[13] der Spiegel, -
Wenn man sich sehen möchte, schaut man in einen Spiegel.

„Und das Geschenk?“, sagt Mephisto und zeigt auf ein kleines Kästchen [14] in seiner Hand.
„Ich weiß nicht“, antwortet Faust und bleibt stehen. „Soll ich?“
„Willst du sie nun, oder willst du sie nicht?“, fragt Mephisto und stellt das Kästchen in Gretchens Schrank. „Schnell weg jetzt!“, sagt er dann. „Ich höre sie kommen.“

▸ 19+20

Gretchen spricht mit sich selbst.

Gretchen:
Ich muss die ganze Zeit an ihn denken. Wer das wohl war?

Gretchen:
Sicher ein reicher, wichtiger Mann. Seine Kleider waren so schön und teuer.

Gretchen:
Und seine Stimme! Wie er geredet hat!

Gretchen:
Nanu? Warum ist hier so schrecklich schlechte Luft?

Gretchen:
Schnell, das Fenster auf! … Ahh, so ist es besser.

Gretchen:
Jetzt das Kleid in den Schrank und dann …

Gretchen:
Oh, was ist das? Wo kommt dieses Kästchen her?

Gretchen:
Und was ist drin?

Gretchen:
So schöner Schmuck! [15] Alles ist aus Gold [16]!

Gretchen:
So eine schöne Kette!

[14] das Kästchen, -

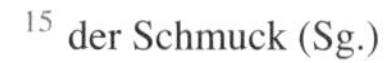

[15] der Schmuck (Sg.)

[16] das Gold (Sg.)
ein sehr teures Metall

40 **Gretchen:**

So tolle Ohrringe!

Gretchen:

Wie sehe ich damit aus, na?

Gretchen:

45 Wunderschön siehst du aus, wie eine große Dame.

Gretchen:

▶ 21+22 Wirklich? Oje, da kommt die Mutter!

7

... und noch ein Geschenk

„Ich werde verrückt!", sagt Mephisto. „Sie hat ihn ihr weggenommen."

„Wer hat wem was weggenommen?", fragt Faust.

„Gretchens Mutter", ruft Mephisto. „Sie hatte Angst, dass mit dem Schmuck etwas nicht stimmt. Ja, sie hat eine sehr gute Nase. Stell dir vor, sie hat ihn der Kirche geschenkt. Meinen Schmuck! Der Kirche! Ich werde verrückt!"

„Und was ist mit Gretchen?", fragt Faust.

„Sie ist traurig", sagt Mephisto. „Immer muss sie an die schönen Sachen denken. Und immer wieder fragt sie, von welchem lieben Menschen sie wohl waren."

„Das süße Ding. Sie soll nicht traurig sein. Geh neuen Schmuck für sie holen."

Bald danach kommt Gretchen zu ihrer Nachbarin Marthe gelaufen.

Gretchen:

Marthe! Marthe! Sehen Sie doch, was ich in meinem Schrank gefunden habe.

Marthe:

Noch ein Kästchen mit Schmuck? Den zeigst du aber nicht deiner Mutter! Los, komm zum Spiegel und probiere ihn gleich an.

Gretchen:

Von wem er wohl ist?

Marthe:

25 Von einem tollen Mann natürlich. Oh, du siehst aus wie eine Prinzessin[17]. Hast du ein Glück! … Und ich? Mein Mann ist weg. Seit Jahren höre ich nichts von ihm. Wahrscheinlich ist er schon lange tot. Wenn ich wenigstens einen Totenschein[18] hätte, dann könnte ich wieder heiraten …

30 *Es klopft an der Tür. Marthe öffnet. Mephisto kommt herein.*

Mephisto:

Entschuldigung, sind Sie Frau Marthe?

Marthe:

Ja. Und wer sind Sie?

35 **Mephisto:**

Oh, Sie haben Besuch? Eine schöne junge Dame. Ich komme später noch mal.

Gretchen:

Bleiben Sie nur. Ich bin keine Dame. Ohne diesen Schmuck bin

40 ich nur ein einfaches Mädchen.

Mephisto:

Das glaube ich nicht. Sie sehen auch ohne Schmuck wie eine große Dame aus.

Marthe:

45 Entschuldigen Sie, darf ich vielleicht mal stören? Sie wollten doch zu mir, oder?

Mephisto:

Ja richtig, fast hätte ich's vergessen, Frau Marthe: Ihr Mann ist tot.

Marthe:

50 Mein Mann …

[17] die Prinzessin, -nen

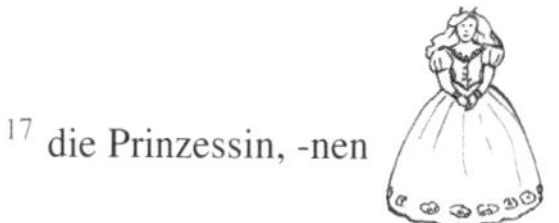

[18] der Totenschein, -e
ein Papier über den Tod

Mephisto:

Ich komme gerade aus Italien. Dort ist er gestorben.

Marthe:

… ist tot …

55 **Gretchen:**

Ach, Frau Marthe, das tut mir ja so leid!

Marthe:

… und Sie waren dabei und haben es gesehen?

Mephisto:

60 Ein Freund und ich, wir waren beide dabei. Ich komme heute Abend noch mal zu Ihnen und bringe ihn mit. Sie brauchen unsere Angaben[19] doch fürs Amt, nicht wahr?

Marthe:

Für den Totenschein.

65 **Gretchen:**

Da sieht man es wieder: Die Liebe bringt nur Schmerz. Ich möchte niemals lieben.

Mephisto:

Freude und Leid gehören zusammen, junge Frau. Sind Sie heute

70 Abend auch wieder hier? Mein Freund ist ein sehr netter und höflicher Mann.

Gretchen:

Ich weiß nicht …

Marthe:

75 Doch, doch! Wir sind beide da. Wir warten hinterm Haus, in meinem Garten.

▶ 23

[19] die Angabe, -n
die Information

8

Liebe für immer

Faust ist sauer.
Was will Mephisto von ihm? Er soll mitkommen und sagen, dass er in Italien war? Er soll dieser Marthe erzählen: ‚Ihr Mann ist gestorben, ich war dabei, ich habe es gesehen.' Er soll lügen?
5 Er, Doktor Faust, der Wissenschaftler, der Wahrheitssucher?
Mephisto muss lachen.
„Was hast du deinen Studenten nicht alles über die Natur, die Wissenschaft und die ganze Welt erzählt?", will er wissen.
„Waren das keine Lügen? Du sagst doch selbst, dass du die Welt
10 nicht gesehen hast und von der Wahrheit nichts verstehst."
„Das ist etwas anderes", meint Faust.
„Und wenn du Gretchen sagst, dass du sie ‚für immer' liebst?
Ist das keine Lüge?"
▶ 24 „Nein!", ruft Faust. „Es ist die Wahrheit. Und nun komm, gehen wir."

15 *Am Abend. Faust und Gretchen gehen in Marthes Garten spazieren.*

Gretchen:

Sie sind ein wichtiger Mann und ich bin nur ein einfaches Mädchen. Sicher rede ich nur dumme Sachen.

Faust:

20 Im Gegenteil, es interessiert mich alles sehr. Erzähle mehr von dir. Was machst du? Wie lebst du?

Gretchen:

Ich wohne bei meiner Mutter. Mein Vater ist tot.
Mein Bruder ist bei den Soldaten [20]. Ich hatte auch mal eine kleine
25 Schwester. Ich musste mich um sie kümmern, weil meine Mutter so krank war. Aber leider ist das Baby gestorben. Ach, es war so süß!

[20] der Soldat, -en 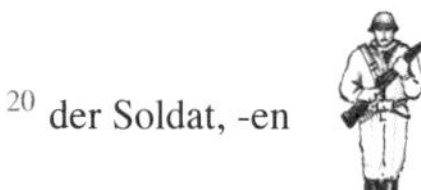

Faust:

Wenn es so war wie du, dann muss es ja süß gewesen sein.
Sag, bist du viel allein?

30 **Gretchen:**

Ja. Ich muss mich um den Haushalt kümmern. Das ist ganz schön viel Arbeit.

Faust:

Wir haben uns schon mal gesehen. Kannst du dich noch
35 erinnern?

Gretchen:

Haben Sie das nicht gemerkt? Ich bin doch ganz rot geworden.

Faust:

Vor der Kirche habe ich dich einfach angesprochen.
40 Du warst sicher böse auf mich, oder?

Gretchen:

Nein, nur auf mich selbst. Weil ich auf Sie nicht böse sein konnte. Ich habe gedacht: Was mache ich denn falsch, dass mich der Herr so einfach anspricht?

45 **Faust:**

Ach, du bist wirklich süß!

Gretchen *nimmt eine Blume und sagt leise:*

Er liebt mich … liebt mich nicht … liebt mich … liebt mich nicht …

50 **Faust:**

Was machst du denn da?

Gretchen:

Moment, lassen Sie mich!
… Ja … nein … ja … nein … ja!
55 Er liebt mich!

Faust:

Die Blume sagt die Wahrheit, Gretchen: Ja, er liebt dich!

Gretchen:

Oh, jetzt werd' ich schon wieder rot.

60 **Faust:**

Ich liebe dich!

Gretchen:

Und ich liebe dich!

Faust:

▸ 25–27 Unsere Liebe soll für immer sein!

9

Liebe jetzt!

Faust möchte allein sein.
Er ist in einen Wald gegangen.
Hier kann er besser nachdenken.
Er ist verliebt. Aber er weiß auch, dass es keine normale Liebe ist.
5 Mephisto hat sie vorbereitet und Faust hat ihm dabei fleißig geholfen.
Gretchen ist so glücklich und so zufrieden mit ihrem Leben.
Und er ist so unzufrieden mit seinem Leben.
Gretchen ist so lieb und so gut.
10 Und er? Er hat einen Vertrag mit dem Teufel.
Faust macht sich Sorgen.
Er möchte nicht, dass Gretchen etwas passiert.
Aber was soll er machen?
Soll er einfach weggehen?
15 Möchte er das wirklich?
Faust weiß es nicht.
Da kommt Mephisto und erzählt: Gretchen ist ja so verliebt!
Den ganzen Tag steht sie am Fenster und wartet und weint und …
20 Genug! Faust geht in die Stadt zurück.
Gretchen ist glücklich.
Aber sie hat auch eine wichtige Frage an ihren Geliebten.

▶ 28
29 ◀

Gretchen:

Sag mal, Heinrich, glaubst du an Gott?

25 **Faust:**

Ich liebe dich. Was brauchst du mehr?

Gretchen:

Nein. Man muss auch glauben.

Faust:

30 Muss man?

Gretchen:

Glaubst du an Gott?

Faust:

Ich glaube. Vielleicht nicht so wie du. Hat nicht jeder seine

35 eigene Religion?

Gretchen:

Deine Antwort gefällt mir nicht. Warum bist du immer mit diesem Menschen zusammen?

Faust:

40 Mephisto? Was hast du gegen ihn?

Gretchen:

Er macht mich krank. Ich habe Angst vor ihm.

Faust:

Das brauchst du nicht. Er ist nur ein bisschen komisch, sonst

45 nichts.

Gretchen:

Wenn ich sein Gesicht sehe, wird mir schlecht. Er ist so eiskalt. Wenn er bei uns ist, dann fühle ich plötzlich keine Liebe mehr, nicht mal für dich.

50 **Faust:**

Ach komm, Liebling!

Gretchen:

Nein, lass mich. Ich muss jetzt gehen.

Faust:

55 Warte! …

Ich möchte so gern mal eine Nacht mit dir zusammen sein.

Gretchen:

Das möchte ich doch auch, Heinrich! Aber es geht nicht. Meine Mutter kann oft nicht richtig schlafen. Wenn sie uns zusammen

60 sieht, dann sterbe ich.

Faust:

Hier, nimm! Das ist die Lösung für unser Problem.

Gretchen:

Was ist das? Was ist in dieser Flasche?

65 **Faust:**

Ein bisschen was davon in ihr Getränk und deine Mutter schläft wie ein Baby.

Gretchen:

Ein Schlafmittel? Hoffentlich ist es nicht zu stark.

70 **Faust:**

Nein, nein! Du kannst mir ruhig glauben.

Gretchen:

Ach, was tu ich nicht alles für dich, mein Liebster!

▶ 30

10

Schnell weg!

31

Nun ist es also passiert: Gretchen hat mit Faust geschlafen. „Ist das nicht normal?“, fragen wir heute. „Die beiden lieben sich doch!“

Aber damals war Sex vor der Ehe für Frauen nicht erlaubt. Die Leute haben sehr genau aufgepasst. Wenn eine ledige Frau mit einem Mann zusammen war, hat gleich die ganze Stadt über sie gesprochen. Sie hat dann nicht mehr zu den ‚ordentlichen‘[21] Leuten gehört. Sie war nur noch eine Hure[22].

Nun kommt Gretchens Bruder, der Soldat Valentin, leider genau in diesen Tagen auf Urlaub in seine Heimatstadt. Er ist noch nicht mal zu Hause, da hat er schon schlimme Dinge gehört. Er kann es nicht glauben: Seine Schwester eine Hure? Für ihn war Gretchen immer das sauberste und ordentlichste Mädchen der Welt.

Valentin steht vor dem Haus seiner Mutter.

Es ist schon dunkel hier draußen, aber er geht nicht hinein.

Was soll er denn sagen? Was soll er tun?

Er weiß es nicht.

Da hört er zwei Männer kommen. Sie sehen ihn nicht und bleiben in seiner Nähe stehen.

[21] ordentlich
hier: *eine „gute“ Person*

[22] die Hure, -n
Eine Hure bietet Sex für Geld an;
hier: *Gretchen hat vor der Ehe mit Faust geschlafen.*

Faust:

Hast du heute keinen Schmuck für mich? Ich gehe nicht gern ohne ein Geschenk zu ihr.

Mephisto:

25 Ach was, es geht auch ohne Geschenke. Sing ihr ein Liebeslied. Pass auf, kennst du das? Ich singe es dir vor …

Valentin:

Ein Liebeslied wollt ihr singen? Vor meinem Haus? Seht ihr diesen Degen[23]?

30 **Mephisto:**

Faust, nimm deinen Degen!

Valentin:

Stirb, du Hund!

Mephisto:

35 Ich helfe dir, Faust!

Valentin:

Ich bin der beste Fechter weit und breit.

Mephisto:

Aber gegen den Teufel hast du keine Chance, mein Kleiner.

40 Los, Faust! Jetzt!

Valentin:

Oh weh, er hat mich getroffen[24]!

Mephisto:

Schnell weg, da kommen Leute.

45 **Gretchen:**

Wer ruft hier so laut? … Wer liegt denn da? … Valentin!!

[23] der Degen, – 

[24] … er hat mich getroffen = *… ich bin verletzt*

Valentin:

Lass mich, du Hure!

Gretchen:

50 Was sagst du? Sollen es alle hören?

Valentin:

Ja, kommt alle her! Meine Schwester ist eine Hure.

Gretchen:

Du machst unser Leben kaputt.

55 **Valentin:**

Du hast es kaputt gemacht.

Nicht der Degen hat mich getötet[25].

Du warst es!

▶ 32–34 *Er stirbt.*

[25] töten
jemandem das Leben nehmen

11

Walpurgisnacht

Faust kann nicht mehr in die Stadt zurück, weil man ihn dort als Mörder[26] sucht. 35

Mephisto ist mit ihm in den *Harz* gegangen. Der Harz ist ein Gebirge in der Mitte von Deutschland. Sein höchster Berg ist der *Brocken*. Einmal im Jahr – in der Nacht vom 30. April auf den 1. Mai – treffen sich dort alle Hexen, Zauberer und Teufel und feiern *Walpurgisnacht*.

Sie machen große Feuer, es gibt Essen, Getränke, Musik, Tanz, Drogen[27] und Sex.

Jeder bekommt, was und so viel er möchte.

Faust tanzt mit einer jungen Hexe. Sie gefällt ihm sehr gut.

Und was ist mit Gretchen? Wollte er sie nicht für immer lieben?

Plötzlich sieht Faust ein Mädchen. Es steht ganz allein, ein Stück weit weg.

Mephisto:

Was ist los, Faust? Warum tanzt du nicht weiter?

Faust:

Sieh mal, die Kleine da drüben. Ist sie nicht genau wie Gretchen?

Mephisto:

Nein, nein, das ist kein Mensch.

Faust:

Ihre Augen sehen so tot aus.

[26] der Mörder, –
Wer jemanden mit Absicht tötet, ist ein …

[27] die Droge, -n
z.B. Alkohol und Zigaretten

Mephisto:

25 Tanz weiter und sieh nicht mehr hin.

Faust:

Aber ihr Körper ist genau wie Gretchens Körper.

Mephisto:

Es ist kein Mensch. Es ist nur ein Zauberbild.[28]

30 **Faust:**

Was hat sie denn da um ihren Hals? Eine dünne rote Kette?

Mephisto:

Das ist Blut. Jemand hat ihr den Kopf abgeschnitten.

Faust:

35 Wie schrecklich! Ich muss immer zu ihr hinsehen …

Mephisto:

Ach was, es gibt so viele lustige Dinge hier. Komm, wir wollen Spaß haben und feiern.

▶ 36

12

Die Wahrheit ist schrecklich

Nach der Walpurgisnacht macht Mephisto noch andere Reisen mit Faust. Er hat ja versprochen, dass er Faust die ganze Welt zeigen will.
Außerdem möchte er, dass Faust nicht mehr an Gretchen denkt.
5 Aber Faust ist unruhig und eines Tages bekommt er doch neue Nachrichten aus Gretchens Heimatstadt.
Sie sind so schlimm, dass er sie zuerst nicht glauben kann:
Gretchen sitzt im Gefängnis.
Ein Gericht hat sie zum Tod verurteilt.[29]

[28] Es ist nur ein Zauberbild. = *Es ist nicht wirklich.*

[29] Ein Gericht hat sie zum Tod verurteilt. = *Gretchen soll sterben.*

10 Warum denn? Was hat sie getan? Faust weiß es nicht.
Er weiß nur, dass Gretchen schon am nächsten Morgen sterben soll. Hat Mephisto das gewusst? Der Teufel antwortet nicht. Keine Antwort ist auch eine Antwort.

Faust:

15 Du hast es also die ganze Zeit gewusst? Und hast mir nichts gesagt!?

Mephisto:

Geht es vielleicht ein bisschen leiser?

Faust:

20 Wir sind monatelang durch die Welt gefahren. Und während ich dabei vor Langeweile fast gestorben bin, hat man Gretchen vor Gericht und ins Gefängnis gebracht.

Mephisto:

Schlimm, schlimm. Aber nicht das erste Mal,
25 dass so etwas passiert.

Faust:

Was sagst du? Du Hund!

Mephisto:

Wer wollte das Mädchen denn kennenlernen?

30 **Faust:**

Hol sie sofort da raus, du Schwein!

Mephisto:

Selbst ein Schwein! Hab ich mit ihr geschlafen oder du?

Faust:

35 Hilf ihr oder, oder …

Mephisto:

Ich kann ihr nicht helfen.

Faust:

Bring mich hin! Sie soll frei sein!

40 **Mephisto:**

Willst du wirklich zurück in die Stadt? Vergiss nicht: Man sucht dich dort. Du hast einen Menschen getötet.

Faust:

Bring mich hin! Sofort!

45 **Mephisto:**

Gut, ich bringe dich zum Gefängnis. Ich kümmere mich darum, dass die Wächter[30] nichts merken. Ich sorge auch für schnelle Pferde. Aber herausholen kann ich das Mädchen nicht. Das musst du schon selbst tun.

▶ 37+38

13

Ende! ... Ende?

39+40 ◀

Es ist Nacht.
Mephisto hat den Wächtern ein Schlafmittel gegeben.
Faust hat die Schlüssel genommen und läuft zu den Gefängniszellen[31].
5 Aus einer Zelle hört er Gretchens Stimme.
Sie singt ein schreckliches, trauriges Lied.
Ist sie vor Angst verrückt geworden?
Faust öffnet die Tür und geht in den dunklen Raum.

[30] der Wächter, –
... passt auf die Leute im Gefängnis auf.

[31] die Gefängniszelle, -n

Gretchen:

10 Oh weh, jetzt kommt der Henker[32]!

Faust:

Nein, ich bin es. Sei doch nicht so laut.

Gretchen:

Warum schon in der Nacht? Genügt es nicht, dass ich am

15 Morgen sterben muss?

Faust:

Sie ist verrückt! Was soll ich denn jetzt tun? …

Gretchen, ich bin es, nicht der Henker.

Gretchen:

20 Heinrich? Ich höre deine Stimme.

Faust:

Ja, meine Geliebte, ich bin es. Du musst nicht sterben.

Gretchen:

Küss mich, Heinrich! Küss mich!

25 **Faust:**

Nicht jetzt. Komm, schnell!

Gretchen:

Nicht jetzt? Kannst du mich nicht mehr küssen?

Liebst du mich nicht mehr?

30 **Faust:**

Natürlich liebe ich dich. Deshalb hole ich dich doch hier raus.

Gretchen:

Weißt du auch, wen du aus dem Gefängnis holst?

Ich bin eine Mörderin.

35 **Faust:**

Gretchen, bitte …

[32] der Henker, –

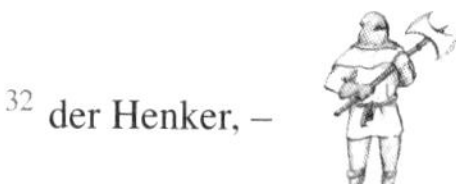

Gretchen:

Dein Schlafmittel war zu stark. Meine Mutter ist gestorben.

Faust:

40 Bald kommt der Morgen …

Gretchen:

Wir hatten ein Kind, Heinrich.

Ich habe es geboren und dann habe ich es getötet.

Faust:

45 Wir müssen gehen …

Gretchen:

Und du? Das Blut von meinem Bruder ist an deiner Hand.

Siehst du es denn nicht?

Faust:

50 Wir müssen beide sterben, wenn …

Gretchen:

Nein, du sollst weiterleben.

Du musst dich um die Gräber[33] kümmern.

Den besten Platz bekommen meine Mutter und mein Bruder.

55 Ich liege ein Stück daneben, aber nicht zu weit.

Und das Baby soll in meinen Armen sein.

Faust:

Gretchen, die Tür ist offen! Wir sind frei!

Gretchen:

60 Nein, ich darf nicht fort. Ich darf nicht weiterleben.

Faust:

Oh Gott! Wäre ich doch nie geboren!

Mephisto:

Sagt mal, wie lange soll das noch dauern?

[33] das Grab, ¨-er

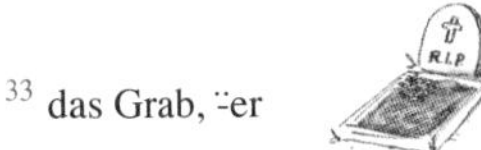

65 **Gretchen:**

DER? Schon wieder der? Ist er denn immer noch bei dir?

Mephisto:

Es wird hell. Die Wächter schlafen nicht mehr.

Komm jetzt, Faust, oder ich lasse dich hier.

70 **Gretchen:**

Bitte, lieber Gott, mach mich stark!

Lass mich im Tod nicht allein!

Faust:

Du sollst leben!

75 **Gretchen:**

Geh jetzt, Heinrich! Mir wird schlecht, wenn ich dich sehe.

Mephisto:

Her zu mir, Faust! Sie ist verloren.

Mephisto und Faust laufen weg.

80 **Eine Stimme von oben:**

▸ 41–43 Sie ist gerettet.

1 Sehen Sie das Bild auf S. 5 an. Lesen Sie dann die Fragen und kreuzen Sie an. Mehrere Antworten sind möglich.

1 Was ist der Mann von Beruf?

- **a** ❍ Schriftsteller
- **b** ❍ Bibliothekar
- **c** ❍ Professor an der Universität
- **d** ❍ Arzt

2 Was denkt er?

- **a** ❍ „Welche Bücher soll ich noch lesen?“
- **b** ❍ „Warum gibt es so viele Bücher auf der Welt?“
- **c** ❍ „Warum studiere ich so viel? Ist das gut?“
- **d** ❍ Eigene Ideen: ______________________

2 Richtig (r), falsch (f) ?

Kreuzen Sie an.

		r	f
a	Faust ist Professor.	⊗	❍
b	Er hat viele Studenten.	❍	❍
c	Niemand kennt ihn.	❍	❍
d	Die Menschen fragen ihn, wenn sie etwas wissen wollen.	❍	❍
e	Er ist ein glücklicher Mann.	❍	❍
f	Er ist ein Genie.	❍	❍
g	Er hat viele Bücher gelesen.	❍	❍
h	Er weiß sehr viel.	❍	❍
i	Er ist dümmer als die anderen Menschen.	❍	❍
j	Er hat die Wahrheit gefunden.	❍	❍

3 Warum spricht Faust mit sich selbst? Was glauben Sie?

a ○ Er will nicht mit anderen Menschen sprechen.

b ○ Er ist mit seinem Leben nicht zufrieden.

c ○ Er ist krank und hat hohes Fieber.

d ○ Er sucht die Wahrheit und hat sie noch nicht gefunden.

4 Was ist das Problem von Faust? Warum ist Faust mit seinem Leben nicht zufrieden ? Schreiben Sie. Die Wörter im Kasten helfen Ihnen.

~~früher~~ keine Freizeit viel arbeiten nichts wissen ~~Traum~~ jetzt
viel studieren die Wahrheit alles verstehen

Früher hatte ich einen Traum.

____

____

____

____

5 Welche Begriffe passen zu Faust? Markieren Sie.

alt allein dumm zufrieden beliebt berühmt langweilig jung traurig glücklich intelligent komisch verrückt hässlich

6 Was glauben Sie: Wie sucht Faust weiter nach der Wahrheit?

a ❍ Er liest noch mehr Bücher.

b ❍ Er fragt andere Menschen.

c ❍ Bücher hat er schon viele gelesen, und andere Menschen sind nicht so intelligent wie er: Er probiert etwas Neues, z.B.

____.

7 Welche Hilfe hat Faust gesucht? Schreiben Sie.

____

____

8 Der Geist erzählt von drei Welten. Was sagt er über sie? Ordnen Sie zu.

a

Die Welt ganz oben		die Menschenwelt.
Die Welt in der Mitte	ist	dunkel.
Die Welt ganz unten		hell.

b **Schreiben Sie.** In welcher Welt lebt …

- Faust? ________________ - der Geist? ________________

c **Wenn Sie mögen, zeichnen Sie die drei Welten und ihre Bewohner.**

9 Das Gespräch mit dem Geist. Richtig (r) oder falsch (f)? Kreuzen Sie an.

		r	f
a	Der Geist ist heiß und hell.	⊗	❍
b	Der Geist kann Faust gut verstehen.	❍	❍
c	Der Geist kennt Faust.	❍	❍
d	Die beiden sind Kollegen.	❍	❍
e	Faust soll zum Geist kommen.	❍	❍
f	Faust soll sich um seine Dinge kümmern.	❍	❍
g	Faust ist zu klein für die helle Welt.	❍	❍
h	Der Geist hilft Faust nicht.	❍	❍

10 Was glauben Sie: Aus welcher Welt kommt der nächste Geist?

____

11 Was hat Faust in seinem Leben gemacht, was haben die anderen Menschen gemacht? Ordnen Sie zu.

	Er hat / Sie haben …	**Faust**	**die anderen Menschen**
a	ein Leben lang gearbeitet und studiert.	⊗	❍
b	Reisen gemacht.	❍	❍
c	die Liebe kennengelernt.	❍	❍
d	Freude und Leid gefühlt.	❍	❍
e	viele Bücher gelesen.	❍	❍
f	viele Texte geschrieben.	❍	❍
g	von der Welt viel gesehen.	❍	❍

12 Eine Zusammenfassung. Kreuzen Sie an und machen Sie Notizen.

1 Faust weiß nicht, was er jetzt noch tun kann; er ist verzweifelt.

a ❍ Er will seinen Beruf wechseln.

b ❍ Er will sterben.

c ❍ Er will heiraten.

2 Plötzlich ist Mephisto da. Wer ist das und aus welcher Welt kommt er?

____

____

3 Was bietet Mephisto an?

____

4 Was ist ein Vertrag?

a ❍ Eine schriftliche Regelung über ein Geschäft.

b ❍ Viel Geld für etwas.

c ❍ Die Erlaubnis für etwas.

5 Womit soll Faust unterschreiben?

a ❍ Mit Bleistift.

b ❍ Mit Blut.

c ❍ Mit Kugelschreiber.

6 Was steht in dem Vertrag?

Mephisto tut alles für Faust,

a ❍ und Faust zahlt Mephisto viel Geld für seine Dienste.

b ❍ aber nach seinem Tod muss Faust tun, was Mephisto will.

c ❍ weil Mephisto bei Faust wohnen darf.

13 Ergänzen Sie. Was ist das Lösungswort?

- **a** Faust will nicht weiterleben. Er will …
- **b** Der andere Geist heißt …
- **c** Er gehört in die dunkle Welt ganz unten. Er ist der …
- **d** „Sein Beruf" ist das …
- **e** Mephisto will für Faust …
- **f** Faust soll nach dem … Mephisto gehören.
- **g** Mephisto macht mit Faust einen …
- **h** Faust unterschreibt den Vertrag mit …
- **i** Mephisto sagt: „Wir müssen etwas gegen deine Minderwertigkeits… tun."

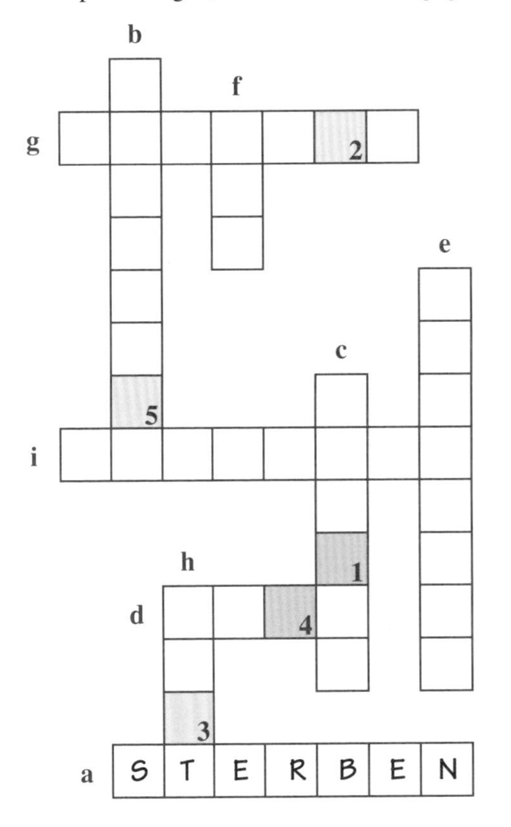

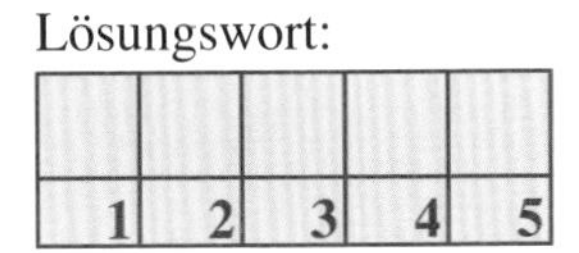

14 Was passt? Ordnen Sie zu.

a

b

c

d

e

1 Zaubermantel [c] 2 Hexe [ ] 3 „Helena" [ ]

4 Vertrag [ ] 5 Medizin [ ]

15 Was hat die Hexenmedizin mit Faust gemacht? Ordnen Sie zu.

1 Faust war ein alter Mann.	a Mephisto soll tun, was Faust möchte.
2 Faust wollte sterben.	b Jetzt interessiert er sich für Frauen.
3 Faust war immer allein mit seinen Büchern.	c Jetzt denkt er ans Leben, nicht mehr an den Tod.
4 Faust erinnert Mephisto an den Vertrag:	d Jetzt fühlt er sich 30 Jahre jünger.

16 „Ab heute sieht Faust die schöne Helena in jedem hübschen Mädchen.“ Was heißt das? Kreuzen Sie an.

a ❍ Alle Mädchen sehen ab jetzt aus wie Helena.

b ❍ Faust findet jetzt alle Mädchen so schön wie Helena.

c ❍ Faust denkt jetzt nur noch an die schöne Helena.

17 Zu welchem Satz im Text passt das? Unterstreichen Sie den Satz und notieren Sie die Zeilen.

a Faust und Mephisto gehen durch die Straßen. (Zeile 2)

b Gretchen glaubt an Gott. (Zeile ____)

c Faust spricht Gretchen an. (Zeile ____)

d Mephisto braucht mehr Zeit. (Zeile ____)

e Sie sehen eine junge Frau. (Zeile ____)

f Gretchen will allein nach Hause gehen. (Zeile ____)

g Mephisto hat keine Macht über Gretchen. (Zeile ____)

h Faust will die junge Frau kennenlernen. (Zeile ____)

i Mephisto will Faust das Zimmer von Gretchen zeigen. (Zeile ____)

j Faust braucht ein Geschenk für Gretchen. (Zeile ____)

18 Warum möchte Faust ein Geschenk für Gretchen? Was für ein Geschenk hat Mephisto wahrscheinlich für sie? Schreiben Sie.

____

____

19 Was sagt/denkt Mephisto? Was sagt/denkt Faust? Kreuzen Sie an.

		Faust	Mephisto
a	„Das sind ihre Kleider."	⊗	❍
b	„Ich weiß, was du jetzt am liebsten möchtest!"	❍	❍
c	„Ich glaube, wir lassen die ganze Sache."	❍	❍
d	„Am liebsten möchte ich jetzt gehen."	❍	❍
e	„Willst du sie nun, oder willst du sie nicht?"	❍	❍
f	„Ich weiß nicht."	❍	❍
g	„Schnell weg jetzt!"	❍	❍

20 Was macht Mephisto mit dem Geschenk für Gretchen?

____

21 Gretchen kommt nach Hause. Wie denkt sie über …? Kreuzen Sie an.

1 … Faust?

a ❍ Sie findet ihn unhöflich, ärgert sich über ihn und will ihn vergessen.

b ❍ Sie findet seine Stimme schön. Sie denkt, er ist reich und wichtig.

2 Im Zimmer …

a ❍ ist gute Luft. Es ist hell und freundlich.

b ❍ ist schlechte Luft. Gretchen weiß nicht, warum.

3 Wie findet sie das Kästchen mit dem Schmuck?

a ❍ Sie freut sich sehr über das Geschenk.

b ❍ Sie hat Angst, weil sie nicht weiß, woher er ist.

4 Was macht sie mit dem Schmuck?

a ❍ Sie legt ihn gleich zurück ins Kästchen.

b ❍ Sie probiert ihn sofort an.

5 Wer stört Gretchen?

a ❍ die Mutter

b ❍ der Pfarrer

22 Was sagt Gretchens Mutter zu dem Schmuck? Was glauben Sie?

---

23 Eine Zusammenfassung: Ordnen Sie zu.

1 Die Mutter hat den Schmuck genommen und der Kirche gegeben.

2 Gretchen ist traurig.

3 Mephisto soll neuen Schmuck holen,

4 Gretchen findet den neuen Schmuck und zeigt ihn Marthe.

5 Marthe selbst ist unglücklich.

6 Mephisto geht zu Frau Marthe.

7 Mephisto und Faust wollen am Abend zusammenkommen.

8 Gretchen ist auch am Abend da.

A Er verspricht: Du bekommst den Totenschein.

B Sie weiß: Mit dem Schmuck ist etwas nicht in Ordnung.

C Marthe weiß: Er ist von einem tollen Mann.

D Faust soll dann zu Marthe sagen: Ich habe es gesehen. Ihr Mann ist tot.

E Sie und Marthe wollen im Garten auf die beiden Männer warten.

F Sie muss immer an das schöne Geschenk denken.

G damit Gretchen nicht mehr traurig ist.

H Sie will auch wieder einen Mann. Aber sie darf erst wieder heiraten, wenn sie einen Totenschein von ihrem Mann hat.

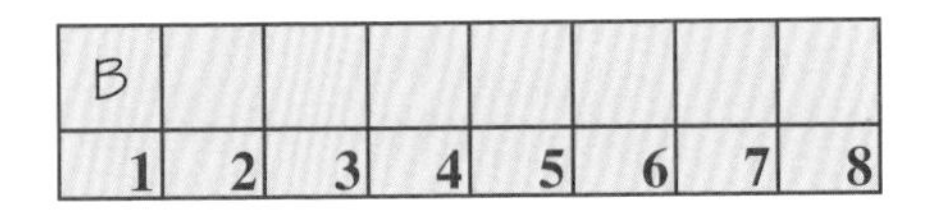

B							
1	2	3	4	5	6	7	8

24 Warum will Faust zuerst nicht zu dem Treffen gehen?

____

25 Worüber sprechen Faust und Gretchen? Kreuzen Sie an. Drei Antworten sind richtig.

Über **a** ❍ ihre Familie.
b ❍ den Beruf von Faust.
c ❍ Gretchens Leben.
d ❍ die Liebe.
e ❍ Mephisto.
f ❍ das Geschenk von Faust.

26 Schreiben Sie die Aussagen richtig. Was steht im Text?

a Faust ist ein junger Mann und Gretchen ist ein hässliches Mädchen.

Faust ist ein wichtiger Mann und Gretchen ist ein einfaches Mädchen.

b Gretchen wohnt mit ihren Eltern und ihrem Bruder zusammen.

____

____

c Sie hat viel Freizeit und wenig Arbeit.

____

d Gretchen ist böse auf Faust.

____

e Die Blume lügt. Faust liebt Gretchen nicht.

____

f Gretchen sagt: Unsere Liebe soll für immer sein!

____

27 Wie fühlt sich Faust jetzt? Was glauben Sie?
Schreiben Sie Ihre Ideen auf.

____

____

____

28 Faust ist in Gretchen verliebt, aber nicht glücklich. Warum?
Kreuzen Sie an.

a ❍ Weil er alt ist und Gretchen jung.
b ❍ Weil er weiß: Gretchen liebt ihn, weil Mephisto ihm geholfen hat.
c ❍ Weil sie nicht gut zusammenpassen: Gretchen ist glücklich und zufrieden, er ist unzufrieden mit seinem Leben.
d ❍ Weil Gretchen gut ist. Sie glaubt an Gott, aber er hat einen Vertrag mit dem Teufel.
e ❍ Der Teufel ist böse. Er kann für Gretchen gefährlich sein.
f ❍ Er will weggehen und alles vergessen.
g ❍ Weil Gretchen den ganzen Tag auf ihn wartet und weint.

29 Was will Gretchen Faust fragen? Haben Sie eine Idee?

____

30 Gretchen und Faust sprechen über diese Themen?
Worüber sprechen sie zuerst, worüber zuletzt? Ordnen Sie.

a ☐ Gretchens Mutter
b ☐ eine gemeinsame Nacht
c ☐ Mephisto
d ☐ ein Schlafmittel
e [1] Religion/Gott

31 Das Kapitel heißt „Schnell weg!“ Wer muss weg und warum? Kreuzen Sie an.

a ❍ Gretchen muss weg. Ihre Mutter fühlt, dass etwas nicht stimmt und schickt Gretchen zu ihrer Schwester nach Dresden.

b ❍ Gretchen muss weg, weil ihr Bruder sie umbringen will. In der Stadt sprechen die Leute über Faust und Gretchen. Die Leute sagen, dass sie eine Hure ist.

c ❍ Faust muss weg, weil Gretchens Bruder ihn umbringen will. Er weiß, dass Faust in der Nacht bei ihr war.

d ❍ Eigene Ideen: ____________________

____

32 Warum sagen die Leute, dass Gretchen eine Hure ist?

____

33 Wer macht was? Korrigieren Sie die Sätze.

a Valentin ~~*freut sich*~~: Zwei Männer wollen zu seiner Schwester.
ärgert sich

b Faust und Valentin *verstehen sich gut.* ____________________

c *Mephisto* und Valentin kämpfen. *Faust* hilft *Mephisto* dabei.

____

d *Mephisto* verletzt Valentin. ____________________

e Valentin will *Hilfe* von seiner Schwester. ____________________

f *Faust* stirbt. ____________________

g *Mephisto* ist ein Mörder. Er muss schnell aus der Stadt weg.

____

34 Vergleichen Sie Ihre Lösung bei Aufgabe 31 mit dem Kapitel. Haben Sie richtig geraten?

35 Was passiert in der Walpurgisnacht? Was glauben Sie? Kreuzen Sie an.

a ❍ Hexen, Zauberer und Teufel treffen sich.
b ❍ Alle Verliebten treffen sich.
c ❍ Es gibt ein großes Feuer.
d ❍ Alle müssen ruhig und ordentlich sein.
e ❍ Es gibt Essen, Getränke, Musik, Tanz, Drogen und Sex.
f ❍ Die Menschen gehen in die Kirche.

36 Warum ist Faust dort? Was ist richtig? Kreuzen Sie an.

Mephisto hat Faust auf den Brocken mitgenommen, weil er

a ❍ Spaß haben soll.
b ❍ dort in die Kirche gehen soll.
c ❍ Gretchen vergessen soll.
d ❍ nachdenken soll.
e ❍ nicht in die Stadt zurückkann.

37 Beantworten Sie die Fragen.

a Was hat Mephisto Faust versprochen?

Mephisto wollte Faust die ganze Welt zeigen.

b Was will Mephisto auch noch erreichen?

____

c Welche Nachrichten erhält Faust aus Gretchens Heimatstadt?

____

d Hat Mephisto das gewusst?

____

e Warum kann Faust nicht in die Stadt zurück?

____

f Wie will Mephisto Faust helfen?

____

38 Welche Gefühle hat Faust? Unterstreichen Sie die Textstellen und Schlüsselwörter.

39 Wie endet die Geschichte? Was glauben Sie?

1 Mephisto bringt Faust zu Gretchen ins Gefängnis.

a ❍ Es ist zu spät: Gretchen ist schon tot.

b ❍ Gretchen lebt noch.

2 Gretchen und Faust sehen sich im Gefängnis.

a ❍ Gretchen ist glücklich. Zusammen mit Faust geht sie aus der Stadt weg.

b ❍ Gretchen will nicht mit Faust weggehen. Sie bleibt lieber im Gefängnis.

3 Gretchen stirbt und

a ❍ kommt in den Himmel.

b ❍ muss zu Mephisto in seine dunkle Welt.

4 Die Polizei sucht Faust noch immer als Mörder.

a ❍ Faust geht zur Polizei und ins Gefängnis.

b ❍ Faust geht mit Mephisto weit weg.

40 Was passt zusammen? Orden Sie zu und kontrollieren Sie mit dem Wörterbuch.

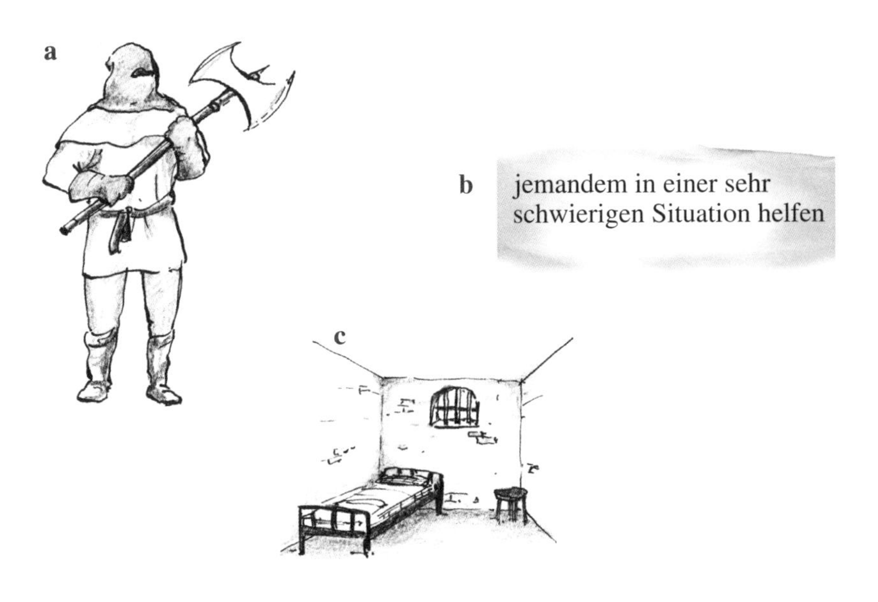

a

b jemandem in einer sehr schwierigen Situation helfen

c

d

e jemandem das Leben nehmen

1 Gefängniszelle C   **2** Henker ☐   **3** töten ☐

4 Grab ☐   **5** retten ☐

41 Welche Sätze gehören zusammen?

1 Gretchen singt ein schreckliches, trauriges Lied.

2 Gretchen hat Angst,

3 Faust soll Gretchen küssen,

4 Faust will Gretchen aus dem Gefängnis holen,

5 Gretchen ist eine Mörderin,

6 Gretchen hat ein Kind geboren,

7 Faust hat auch Blut an seinen Händen,

8 Mephisto holt Faust,

A weil sie denkt, dass der Henker kommt.

B Wahrscheinlich ist sie verrückt geworden.

C weil er Gretchens Bruder Valentin getötet hat.

D aber sie hat es getötet.

E weil es hell wird und die Wächter nicht mehr schlafen.

F weil er Gretchen liebt.

G denn sie liebt ihn immer noch.

H weil ihre Mutter an dem Schlafmittel gestorben ist.

B							
1	2	3	4	5	6	7	8

42 Was bedeutet der letzte Satz: „Sie ist gerettet.“

a ❍ Gretchen ist gestorben und kommt in den Himmel.

b ❍ Gretchen war krank und ist jetzt wieder gesund.

c ❍ Eigene Ideen: ______________________________

43 Schreiben Sie die Geschichte mit einem glücklichen Ende.

Faust geht in Gretchens Gefängniszelle.

____

____

____

____

1 mögliche Lösungen: 1 a/c, 2 a/c

2 richtig: b, d, f, g, h
falsch: c, e, i, j

3 b, d

4 *Lösungsbeispiel:*
... Ich wollte alles verstehen und die Wahrheit finden. Ich habe viel studiert und viel gearbeitet und hatte keine Freizeit. Trotzdem weiß ich jetzt nichts.

5 z.B. allein, berühmt, hässlich, intelligent, traurig, beliebt

6 offene, persönliche Antwort

7 Er hat die Hilfe von einem Zauberbuch und Geistern gesucht.

8 a Die Welt in der Mitte ist die Menschenwelt.
Die Welt ganz unten ist dunkel.
b Faust lebt in der Menschenwelt.
Der Geist lebt in der hellen Welt ganz oben.

9 richtig: f, g, h
falsch: b, c, d, e

10 offene Antwort

11 Faust: e, f
die anderen Menschen: b, c, d, g

12 1 b
2 *Lösungsbeispiel:*
Mephisto ist ein Teufel und kommt aus der dunklen Welt ganz unten.
3 *Lösungsbeispiele:* Er kann Faust die tollsten, interessantesten Dinge im Leben zeigen. / Er macht alles, was Faust will.
4 a
5 b
6 b

13 b Mephisto c Teufel d Böse,
e arbeiten f Tod g Vertrag,
h Blut i komplexe
Lösungswort: FAUST

14 2d 3b 4e 5a

15 2c 3b 4a

16 b

17 b Zeile 4, 30
c Zeile 7, 9/10
d Zeile 42
e Zeile 3
f Zeile 16/17
g Zeile 31-33
h Zeile 7, 21
i Zeile 46/47
j Zeile 49

18 *Lösungsbeispiele:* Er möchte ihr gefallen und sie kennenlernen. / Blumen, Schmuck, Kleidung ...

19 Faust: c, d, f
Mephisto: b, e, g

20 Er stellt es in Gretchens Schrank.

21 1b 2b 3a 4b 5a

22 offene Antwort

23 2F 3G 4C 5H 6A 7D 8E

24 Er, der Wissenschaftler und Wahrheitssucher, soll lügen.
Er will nicht lügen.

25 a, c, d

26 b Gretchen wohnt bei ihrer Mutter. Ihr Vater ist tot und ihr Bruder ist bei den Soldaten.
c Sie hat viel Arbeit. Sie muss sich um den Haushalt kümmern.
d Gretchen muss immer an Faust denken. / war böse auf sich selbst.
e Die Blume sagt die Wahrheit. Faust liebt Gretchen.
f Faust sagt: Unsere Liebe soll für immer sein!

27 *Lösungsbeispiele:*
Er ist sehr glücklich. / Er will Gretchen heiraten.

28 b, d

29 offene, persönliche Antwort

30 a4 b3 c2 d5

31 alle Antworten sind möglich

32 Sie hatte Sex vor der Ehe.

33 b Faust und Valentin verstehen sich nicht / streiten sich.
c Faust und Valentin kämpfen. Mephisto hilft Faust dabei.
d Faust verletzt Valentin.
e Valentin will keine Hilfe von seiner Schwester.
f Valentin stirbt.
g Faust ist ein Mörder.

34 richtig: c

35 mögliche Antworten: a, b, c, e

36 richtig: a, c, e

37 b Er möchte, dass Faust nicht mehr an Gretchen denkt.
c Gretchen sitzt im Gefängnis und soll sterben.
d Ja.
e Man sucht Faust dort, weil er Valentin getötet hat.
f Er bringt ihn zum Gefängnis und gibt den Wächtern ein Schlafmittel. Faust soll Gretchen allein herausholen.

38 Er ärgert sich und ist böse auf Mephisto:
Zeile 27: Du Hund!
Zeile 31: Du Schwein!

39 offen; alle Antworten sind möglich

40 2a 3e 4d 5b

41 2A 3G 4F 5H 6D 7C 8E

42 a, c (offene Antwort)

43 offene Antwort